中国工程建设协会标准

建筑用无机集料阻燃木塑复合墙板应用技术规程

Technical specification for application of inorganic aggregate fire retardant wood-plastic composite wall-panel in buildings

CECS 286∶2015

主编单位：中国建筑标准设计研究院有限公司
　　　　　北京恒通创新赛木科技股份有限公司
批准单位：中 国 工 程 建 设 标 准 化 协 会
施行日期：２ ０ １ ５ 年 ９ 月 １ 日

中国计划出版社

2015　北　京

中国工程建设协会标准
建筑用无机集料阻燃木塑复合墙板应用技术规程
CECS 286：2015

☆

中国计划出版社出版

网址：www.jhpress.com

地址：北京市西城区木樨地北里甲11号国宏大厦C座3层
邮政编码：100038 电话：(010)63906433(发行部)

新华书店北京发行所发行
廊坊市海涛印刷有限公司印刷

850mm×1168mm 1/32 1.375印张 32千字
2015年8月第1版 2015年8月第1次印刷
印数1—3080册

☆

统一书号：1580242·727
定价：16.00元

版权所有 侵权必究
侵权举报电话：(010)63906404
如有印装质量问题，请寄本社出版部调换

中国工程建设标准化协会公告

第 204 号

关于发布《建筑用无机集料阻燃木塑复合墙板应用技术规程》的公告

根据中国工程建设标准化协会《关于印发〈2013年第二批工程建设协会标准制订、修订计划〉的通知》(建标协字〔2013〕119号)的要求,由中国建筑标准设计研究院有限公司、北京恒通创新赛木科技股份有限公司等单位编制的《建筑用无机集料阻燃木塑复合墙板应用技术规程》,经本协会建筑与市政工程产品应用分会组织审查,现批准发布,编号为 CECS 286:2015,自2015年9月1日起施行。原《建筑用无机集料阻燃木塑复合墙板应用技术规程》CECS 286:2011 同时废止。

中国工程建设标准化协会
二〇一五年六月三日

前 言

根据中国工程建设标准化协会《关于印发〈2013年第二批工程建设协会标准制订、修订计划〉的通知》(建标协字〔2013〕119号)的要求,本规程编制组经广泛调查研究,认真总结实践经验,参考国家现行标准,并在广泛征求意见的基础上,修订了本规程。

本规程共分5章,主要内容包括:总则、术语、材料、墙板墙体设计与构造、施工安装与验收。

本规程修订的主要技术内容:

1. 调整无机集料阻燃木塑复合墙板的物理力学性能指标及试验方法。

2. 在材料章节中增加"金属材料及配件"和"保温、涂覆及封堵材料"内容。

3. 增加无机集料阻燃木塑复合墙板的储存、堆放和运输要求。

4. 增加无机集料阻燃木塑复合墙板施工记录要求、墙板墙体施工安装中防潮防水要求、主要金属配件与主体结构连接要求。

本规程由中国工程建设标准化协会建筑与市政工程产品应用分会归口管理,由中国建筑标准设计研究院有限公司负责具体技术内容的解释,在执行过程中如有意见或建议,请寄至解释单位(地址:北京市海淀区首体南路9号主语国际5号楼7层,邮政编码:100048)。

主 编 单 位:中国建筑标准设计研究院有限公司
      北京恒通创新赛木科技股份有限公司
参 编 单 位:中国建筑科学研究院
      国家人造板与木竹制品质量监督检验中心

上海市建筑科学研究院(集团)有限公司
主要起草人：曹　彬　郭　伟　孙志强　郝　伟　商宇飞
　　　　　　　魏素巍　张佳岩　王秋艳　申海军　郭　婷
　　　　　　　周　洁　陈海明　王景贤　付跃进　俞海勇
主要审查人：涂平涛　张仁瑜　谭　华　周　辉　汪一骏
　　　　　　　薛　平　刘新生

目　　次

1 总　　则 …………………………………………… （ 1 ）
2 术　　语 …………………………………………… （ 2 ）
3 材　　料 …………………………………………… （ 3 ）
　3.1 一般规定 ……………………………………… （ 3 ）
　3.2 金属材料及配件 ……………………………… （ 3 ）
　3.3 保温、涂覆及封堵材料 ……………………… （ 3 ）
　3.4 墙板 …………………………………………… （ 4 ）
4 墙板墙体设计与构造 ……………………………… （ 9 ）
　4.1 一般规定 ……………………………………… （ 9 ）
　4.2 设计与构造 …………………………………… （ 9 ）
5 施工安装与验收 …………………………………… （13）
　5.1 一般规定 ……………………………………… （13）
　5.2 墙板墙体施工安装 …………………………… （13）
　5.3 检验与验收 …………………………………… （14）
本规程用词说明 ……………………………………… （15）
引用标准名录 ………………………………………… （16）
附:条文说明 …………………………………………… （19）

Contents

1 General provisions .... (1)
2 Terms .... (2)
3 Material .... (3)
   3.1 General requirements .... (3)
   3.2 Metal materials and fittings .... (3)
   3.3 Thermal insulation, coating and sealing materials .... (3)
   3.4 Inorganic aggregate fire retardant wood-plastic composite
       wall-panel .... (4)
4 Design and structure of wall-panel and wall
   system .... (9)
   4.1 General requirements .... (9)
   4.2 Design and structure .... (9)
5 Construction and acceptance .... (13)
   5.1 General requirements .... (13)
   5.2 Construction method for wall system .... (13)
   5.3 Acceptance and inspection .... (14)
Explanation of wording in this specification .... (15)
List of quoted standards .... (16)
Addition: Explanation of provisions .... (19)

1 总　则

1.0.1 为规范和指导建筑用无机集料阻燃木塑复合墙板的工程应用，做到技术先进、安全适用、经济合理、确保质量，制定本规程。

1.0.2 本规程适用于非抗震设防地区和抗震设防烈度为8度（设计基本地震加速度为0.2g）及以下地区，以无机集料阻燃木塑复合墙板作为民用建筑和一般工业建筑工程的非承重内隔墙、外围护墙体的设计、施工及验收。

1.0.3 无机集料阻燃木塑复合墙板工程建筑耐火等级应符合现行国家标准《建筑设计防火规范》GB 50016的有关规定。

1.0.4 无机集料阻燃木塑复合墙板工程应用除应符合本规程的规定外，尚应符合国家现行有关标准的规定。

2 术 语

2.0.1 无机集料阻燃木塑复合墙板 inorganic aggregate fire retardant wood-plastic composite wall-panel

以聚氯乙烯(PVC)塑料为胶结料,尾矿砂和(或)石材加工下脚料为无机集料,经防腐和防虫蛀处理的木质纤维为抗裂增强材料,掺加阻燃剂等助剂,经挤出成型的实心或空心轻质墙板。

2.0.2 无机集料阻燃木塑复合墙体 inorganic aggregate fire retardant wood-plastic composite wall-panel wall

用无机集料阻燃木塑复合墙板与填充材料或饰面材料等组装而成的隔墙或外围护墙体。

3 材 料

3.1 一 般 规 定

3.1.1 无机集料阻燃木塑复合墙板墙体工程各组成材料和安装中采用的配套材料应无放射性、对环境无污染，并应符合现行国家标准《建筑材料放射性核素限量》GB 6566 的有关规定。

3.1.2 无机集料阻燃木塑复合墙板应与配套材料相容，并应有与所接触材料的相容性试验报告。

3.1.3 无机集料阻燃木塑复合墙板应与金属连接配件配套使用，且配件材料及性能应符合本规程第3.2节及国家现行有关标准的规定。

3.2 金属材料及配件

3.2.1 无机集料阻燃木塑复合墙板墙体工程所用金属材料和金属配件除不锈钢、铝合金和耐候钢外，均应根据使用需要，采取有效的表面防腐蚀处理措施。

3.2.2 钢柱预埋件、方管钢柱、U型钢卡、H型钢柱所用碳素结构钢、合金结构钢、低合金高强度结构钢和碳钢铸件，应符合国家现行有关标准的规定。

3.2.3 后锚固连接用机械锚栓应符合现行行业标准《混凝土用膨胀型、扩孔型建筑锚栓》JG 160 的规定。后锚固连接用化学锚栓符合现行行业标准《混凝土结构后锚固技术规程》JGJ 145 的规定。

3.2.4 自攻螺钉、螺栓应符合国家现行有关标准的规定。

3.3 保温、涂覆及封堵材料

3.3.1 岩棉应符合现行国家标准《建筑外墙外保温用岩棉制品》

GB/T 25975 的有关规定。

3.3.2 石膏板应符合现行国家标准《纸面石膏板》GB/T 9775 的有关规定。

3.3.3 耐水腻子应符合国家现行标准《外墙柔性腻子》GB/T 23455 和《建筑室内用腻子》JG/T 298 的有关规定。

3.3.4 无机集料阻燃木塑复合墙板墙体工程所用密封材料的粘结性能和耐久性能应符合设计要求。

3.4 墙 板

3.4.1 无机集料阻燃木塑复合墙板的规格尺寸应符合下列规定：

1 长度 L 应符合设计要求或由供需双方协商确定,长度不小于宽度的 2.5 倍；

2 宽度 B 主规格宜为 300mm、450mm、600mm；

3 厚度 T 主规格宜为 100mm、120mm、150mm。

3.4.2 无机集料阻燃木塑复合墙板的外观质量及测试方法应符合表 3.4.2 的规定。

表 3.4.2 无机集料阻燃木塑复合墙板的外观质量及测试方法

项 目	指标	测试方法
板面外露纤;飞边毛刺;板的横向、纵向、厚度方向贯通裂缝	无	《建筑用轻质隔墙条板》GB/T 23451 或《建筑隔墙用轻质条板》JG/T 169
长度为 50mm～100mm，宽度为 0.5mm～1.0mm 的板面裂缝	≤2 处/板	
长径为 5mm～30mm 的蜂窝气孔	≤3 处/板	
宽度×长度为 10mm×25mm～20mm×30mm 的缺棱掉角	≤2 处/板	
壁厚(mm)	≥7	
墙板企口不得缺损,企口对接应吻合	—	

注：1 第 2、3、4 项中低于下限值的缺陷忽略不计,高于上限值的缺陷为不合格。

2 无机集料阻燃木塑复合空心轻质墙板应测壁厚。

3.4.3 无机集料阻燃木塑复合墙板的尺寸允许偏差及测试方法应符合表3.4.3的规定。

表3.4.3 无机集料阻燃木塑复合墙板的尺寸允许偏差（mm）

项 目	允许偏差	测 试 方 法
长度	±5	《建筑用轻质隔墙条板》GB/T 23451 或《建筑隔墙用轻质条板》JG/T 169
宽度	±2	
厚度	±1.0	
板面平整度	≤2.0	
对角线差	≤6	
侧向弯曲	≤L/1000	

3.4.4 无机集料阻燃木塑复合墙板的物理力学性能及测试方法应符合表3.4.4的规定。

表3.4.4 物理力学性能指标

序号	项 目		指标			测试方法
			板厚100mm	板厚120mm	板厚150mm	
1	面密度（kg/m^2）		≥30	≥38	≥40	《建筑用轻质隔墙条板》GB/T 23451 或《建筑隔墙用轻质条板》JG/T 169
2	抗冲击性能	硬物冲击	落球法试验冲击1次，板面无贯通裂纹			《纤维增强硅酸钙板 第2部分 温石棉硅酸钙板》JC/T 564.2
		软物冲撞击	经5次抗冲击试验后表面无裂纹			《建筑用轻质隔墙条板》GB/T 23451 或《建筑隔墙用轻质条板》JG/T169
3	集中荷载		加载至6kN静置10min后样品未折断			《建筑隔墙用轻质条板》JG/T 169、《金属面聚苯乙烯夹芯板》JC 689 或《石膏砌块》JC/T 698

续表 3.4.4

序号	项目		指标			测试方法
			板厚 100mm	板厚 120mm	板厚 150mm	
4	均布荷载	加载至 5kN/m² 时,挠度值(mm)	≤9.25	≤6.75	≤5.97	《建筑隔墙用轻质条板》JG/T 169、《金属面聚苯乙烯夹芯板》JC 689 或《石膏砌块》JC/T 698
		加载至 6kN/m² 时,挠度值(mm)	≤10.98	≤8.45	≤8.38	
5	抗压强度(MPa)		≥5.9			《建筑用轻质隔墙条板》GB/T 23451 或《建筑隔墙用轻质条板》JG/T 169
6	软化系数		≥0.90			
7	吊挂力		荷载 1000N 静置 24h 吊挂区无损			
8	维卡软化点(℃)		≥80			《热塑性塑料维卡软化温度(VST)的测定》GB/T 1633
9	耐久性	耐热水性能	在(60±3)℃水中浸泡 56d 的试件与对比试件饱和水状态抗折强度比值,应大于或等于 0.8			《纤维水泥制品试验方法》GB/T 7019 或《外墙用非承重纤维增强水泥板》JG/T 396
		耐干湿性能	浸泡-干燥性能循环 50 次后的试件与对比试件饱和水状态抗折基准强度比值,应大于或等于 0.75			
10	不透水性(mm)		24h 检验后,允许板反面出现湿痕,但不得出现水滴			
11	抗冻性		至少经 25 次冻融循环后,不应出现可见的裂纹且表面无变化			《膨胀聚苯板薄抹灰外墙外保温系统》JG 149

续表 3.4.4

序号	项目	指标 板厚100mm	指标 板厚120mm	指标 板厚150mm	测试方法
12	湿度变形(%)	≤0.07			《纤维水泥制品试验方法》GB/T 7019
13	空气声计权隔声量(dB) 无机集料阻燃木塑复合墙板	≥31	≥33	≥35	《声学 建筑和建筑构件隔声测量 第3部分:建筑构件空气声隔声的实验室测量》GB/T 19889.3 及《建筑隔声评价标准》GB/T 50121
	空气声计权隔声量(dB) 无机集料阻燃木塑复合墙体	≥45			
14	耐火极限(h)	≥2			《建筑构件耐火试验方法 第8部分:非承重垂直分隔构件的特殊要求》GB/T 9978.8
15	燃烧性能	不低于 B_1 级			《建筑材料及制品燃烧性能分级》GB 8624
16	主断面传热系数 [$W/(m^2·K)$]	隔墙≤2.0			《绝热稳态传热性质的测定 标定和防护热箱法》GB/T 13475
		当作外围护墙时,应符合不同建筑气候区建筑节能设计规范要求			
17	材料产烟毒性	准安全级 ZA_1			《材料产烟毒性危险分级》GB/T 20285

注:1 硬物冲击用于外围护墙板。
2 软物冲击用于内隔墙板。
3 夏热冬暖地区不检测抗冻性。
4 主断面传热系数为作为隔墙或外围护墙用的无机集料阻燃木塑复合墙体(带构造的、非匀质材料)的传热系数。

3.4.5 放射性核素限量及测试方法应符合表3.4.5的规定。

表3.4.5 放射性核素限量

项 目	指 标		测试方法
墙板中镭-226、钍-232、钾-40放射性核素限量	实心板	空心板（空心率>25%）	《建筑材料放射性核素限量》GB 6566
I_{Ra}（内照射指数）	≤1.0	≤1.0	
I_γ（外照射指数）	≤1.0	≤1.3	

3.4.6 无机集料阻燃木塑复合墙板的储存、堆放和运输应符合下列规定：

1 产品应按型号、规格分类储存，存放场地应平整、干燥；

2 堆放下部用100mm×100mm方木垫高，方木间距不应大于1500mm；

3 水平堆放墙板，垛高不超过1.5m；

4 露天储存时应有篷布遮盖。

4 墙板墙体设计与构造

4.1 一般规定

4.1.1 单层墙板墙体构造应为带企口的条板拼装成整体墙板墙体。

4.1.2 墙板墙体应为非承重结构,并与梁、板、柱、墙等有可靠连接,应根据功能设计要求,采取抗震、防火、隔声、防水防渗、防裂及保温等措施。

4.1.3 设计图纸应明确规定墙板墙体上的孔洞位置和尺寸。

4.2 设计与构造

4.2.1 墙板墙体厚度除应满足建筑物抗震、防火、隔声、保温、隔热等功能要求,并应符合下列规定:

1 单层墙板用作户内分室隔墙时,墙板厚度不应小于100mm;

2 用作分户墙时,墙板厚度不宜小于120mm;

3 用作外围护墙时,墙板厚度不宜小于150mm。

4.2.2 墙板墙体安装高度应符合下列规定:

1 100mm厚墙板墙体安装高度不应大于3.6m;

2 120mm厚墙板墙体安装高度不应大于4.2m;

3 150mm厚墙板墙体安装高度不应大于4.5m。

4.2.3 在限高内安装墙板墙体时,宜采用整板。超出本规程第4.2.2条文规定的高度安装墙体时,应由工程设计单位做加固、抗震设计。

4.2.4 墙板的板与板之间可采用企口及穿钉连接方式,并应根据不同部位,按下列规定采用相应的防裂措施:

1 企口接缝处宜粘贴涂塑中碱玻璃纤维网格布或无纺布条；

2 墙板拼装墙体的饰面层宜采用双层玻璃纤维网格布，两层网布的纬向应相互垂直；

3 沿墙长度方向，可在板与板之间间断设置伸缩缝，接缝处应使用柔性粘结材料处理；

4 墙板墙体阴阳角处以及条板与建筑主体结构结合处应做专门防裂处理。专门防裂处理可采用加设塑胶护角或局部粘贴双层网布、挂钢丝网抹灰处理等。

4.2.5 当墙板墙体安装长度超过 6m 时，应设置钢柱等加固措施，并同时采取防裂措施。当设置竖向变形分隔缝时，应用柔性嵌缝材料填实并做好建筑盖缝处理，也可采取粘贴防裂网带、防裂胶带等措施。

4.2.6 板与墙之间、板与柱之间的对接缝隙宽度不应大于 10mm，缝隙内应填满、灌实聚合物水泥粘结砂浆。拼接时宜挤出水泥粘结砂浆。墙板企口接缝处应采取防裂措施。

4.2.7 安装墙板墙体时，墙板应按墙体长度方向竖向排列。当墙体端部尺寸不足一块标准板宽时，可按尺寸要求切割补板，补板宽度不应小于 200mm。

4.2.8 墙板墙体空气声隔声性能（计权隔声量 R_w ＋频谱修正量 C_i）应按建筑物性质及部位满足现行国家标准《民用建筑隔声设计规范》GB 50118 的有关要求。

4.2.9 顶部为自由端的墙板隔墙应符合下列规定：

1 应做压顶，埋设通长钢拉梁，并用水泥砂浆覆盖抹平；空心条板顶端孔洞均应局部灌实，每块板应埋设不少于一根钢筋与上部水平角钢拉梁连接；也可选用混凝土拉梁，混凝土拉梁应与板内预埋钢筋连接；

2 隔墙上端应间断设置拉杆与主体结构固定；

3 所有外露铁件均应做防锈处理。

4.2.10 墙板与地面的连接，可采用将墙板放置在 U 型钢扣槽内,与地面预埋件连结的做法。U型钢扣槽高度不宜小于70mm。

4.2.11 墙板墙体与上部主体结构之间应为柔性连接,并应符合下列规定:

1 在两块条板顶端接缝处应设置U型或L型镀锌钢板卡,并应与主体结构连接;

2 墙板与结构之间宜留有不小于20mm的缝隙,并应用聚合物水泥砂浆填实;

3 连接件应采取耐久性防护措施。

4.2.12 在抗震设防区,墙板墙体与顶板、结构梁、主体墙和柱的连接应采用镀锌钢板卡件,并应使用胀管螺钉、射钉固定。钢卡板件固定应符合下列规定:

1 墙板墙体与顶板、结构梁的接缝处,钢卡间距不应大于600mm;

2 墙板墙体与主体墙、柱的接缝处,钢卡可间断布置,间距不应大于1m。

4.2.13 在墙板墙体上预留门、窗洞口位置及尺寸时,应选用与墙体厚度相适应的门、窗框,并应符合下列规定:

1 采用空心墙板做门窗框板时,距板边120mm～150mm不应有空心孔洞,可将空心墙板的第一孔用细石混凝土灌实;

2 靠门、窗框一侧的墙板,宜加设预埋件。

4.2.14 门、窗洞孔及过道等处的过梁板,当上部墙体高度大于600mm或洞口宽度超过1.5m时,应采用配有钢筋的过梁板或采取其他加固措施。

4.2.15 当在墙板隔墙上横向开槽、开洞敷设电气暗线、暗管、开关盒时,应符合下列规定:

1 所选用隔墙的厚度不应小于100mm;

2 墙面开槽深度不应大于墙厚的2/5,开槽长度不应大于隔墙长度的1/2;条板开槽埋管线后应补强修复;严禁在隔墙两侧同一部位开槽、开洞,其间距应错开150mm以上。

4.2.16 单层墙板隔墙内不宜设计暗埋配电箱、控制柜,宜采用明装方式或局部设计双层墙板。

4.2.17 单层墙板隔墙内不宜横向暗埋水管,宜采用明装方式。在低温环境下,应做防冻或防结露设计。

4.2.18 在住宅建筑中,当需暗埋布置水管时,应选用墙板厚度不小于150mm的隔墙,开槽深度不应大于墙厚的2/5,长度不应大于墙长的1/2,并应做好防渗漏措施,尽快完成管线铺设和回填、补强、加固,并做好防裂处理。

4.2.19 墙板隔墙上需要吊挂重物和设备时,不应单点固定,应在设计时考虑加固措施,两点的间距应大于300mm。预埋件和锚固件均应做防腐或防锈处理,并应避免预埋铁件外露。

4.2.20 墙板隔墙用于厨房、卫生间及有防潮、防水要求的环境时,应设计防潮、防水的构造措施;凡附设水池、水箱、洗手盆等设施的墙体,墙面应做防水处理,且高度不宜低于1.8m。

4.2.21 墙板隔墙用于潮湿环境时,下端应现浇C20细石混凝土防潮墙垫,墙垫高度不应小于100mm,并应做泛水处理。

4.2.22 分户隔墙、走廊隔墙、楼梯间隔墙和有防火要求的外围护墙,条板墙体的燃烧性能和耐火极限应符合现行国家标准《建筑设计防火规范》GB 50016的有关规定,并应满足工程设计要求。

4.2.23 墙板用作围护墙时,与主体结构的连接设计应符合下列规定:

    1 墙板应与主体结构有可靠连接;
    2 当采用竖墙板时,应分层承托;
    3 横墙应按一定高度由主体结构承托。

4.2.24 墙板用作围护墙时,其抗风荷载性能应符合设计要求。

4.2.25 墙板用作围护墙时,墙体的热工性能(保温性能和隔热性能),应满足当地建筑节能设计的有关要求。

5 施工安装与验收

5.1 一般规定

5.1.1 墙板墙体安装前,应具备下列分项工程施工技术文件:

　　1 墙体排板图(立面、平面图);

　　2 墙板墙体安装构造图及相关技术资料;

　　3 墙板墙体具体施工方案。

5.1.2 湿作业施工现场环境温度不宜低于5℃;当需在低于5℃环境下施工时,应采取冬期施工措施。

5.1.3 墙板墙体工程应按图施工。

5.1.4 墙板施工过程中应对各工序进行验收并保存验收记录,且应按施工程序组织隐蔽工程的验收、保存施工和验收记录。施工和验收记录应包括文字记录、照片或影像资料。

5.2 墙板墙体施工安装

5.2.1 墙板墙体施工安装应符合现行行业标准《建筑轻质条板隔墙技术规程》JGJ/T 157的有关规定。

5.2.2 与墙板连接处的楼面、梁面、柱面、墙面和地面应清理干净,光滑表面宜做凿毛处理或涂刷界面剂,并应具备安装墙板墙体的施工作业条件。

5.2.3 有防潮、防水要求的墙板墙体,应做C20细石混凝土防潮墙垫。

5.2.4 墙板安装完成后,不应立即用聚合物水泥砂浆填充顶板板缝,宜在楼面永久荷载安装到位后,再进行填充。

5.2.5 U型钢卡与主体结构连接时,应符合下列规定:

　　1 与地面连接时,应采用通过与主体结构预埋件的焊接进行固定；

2 与外窗上下口及侧口连接时，应采用 D15 聚乙烯泡沫棒进行固定。

5.3 检验与验收

5.3.1 建筑用无机集料阻燃木塑复合墙板进场时，应对其产品合格证、出厂检验报告和性能检测报告进行检验，检查数量按进场的批次和产品抽样检验方案确定。

5.3.2 建筑用无机集料阻燃木塑复合墙板进场时，应根据设计要求按本规程第 3 章的规定进行面密度、抗压强度的复验，检验方法应符合相应指标的测试方法规定，并应符合下列规定：

1 同一进场、同种规格的建筑用无机集料阻燃木塑复合墙板，$3000m^2$（含不足 $3000m^2$）应作为一个检验批。每批应至少检验 1 次；

2 应采用检查进场复验报告的方法复验。

5.3.3 建筑用无机集料阻燃木塑复合墙板墙体工程的质量验收应符合现行国家标准《建筑工程施工质量验收统一标准》GB 50300 和《建筑装饰装修工程质量验收规范》GB 50210 的有关规定。

5.3.4 墙板墙体验收应符合现行行业标准《建筑轻质条板隔墙技术规程》JGJ/T 157 的有关规定。验收时应提供下列资料：

1 设计及工程技术资料；

2 产品合格证；

3 性能检测报告；

4 进场复验报告。

本规程用词说明

1 为便于在执行本规程条文时区别对待,对要求严格程度不同的用词说明如下:
　　1)表示很严格,非这样做不可的:
　　　　正面词采用"必须",反面词采用"严禁";
　　2)表示严格,在正常情况下均应这样做的:
　　　　正面词采用"应",反面词采用"不应"或"不得";
　　3)表示允许稍有选择,在条件许可时首先应这样做的:
　　　　正面词采用"宜",反面词采用"不宜";
　　4)表示有选择,在一定条件下可以这样做的,采用"可"。
2 条文中指明应按其他有关标准执行的写法为:"应符合……的规定"或"应按……执行"。

引用标准名录

《建筑设计防火规范》GB 50016
《民用建筑隔声设计规范》GB 50118
《建筑隔声评价标准》GB/T 50121
《建筑装饰装修工程质量验收规范》GB 50210
《建筑工程施工质量验收统一标准》GB 50300
《热塑性塑料维卡软化温度(VST)的测定》GB/T 1633
《建筑材料放射性核素限量》GB 6566
《纤维水泥制品试验方法》GB/T 7019
《建筑材料及制品燃烧性能分级》GB 8624
《纸面石膏板》GB/T 9775
《建筑构件耐火试验方法 第8部分:非承重垂直分隔构件的特殊要求》GB/T 9978.8
《绝热稳态传热性质的测定 标定和防护热箱法》GB/T 13475
《声学 建筑和建筑构件隔声测量 第3部分:建筑构件空气声隔声的实验室测量》GB/T 19889.3
《材料产烟毒性危险分级》GB/T 20285
《建筑用轻质隔墙条板》GB/T 23451
《外墙柔性腻子》GB/T 23455
《建筑外墙外保温用岩棉制品》GB/T 25975
《混凝土结构后锚固技术规程》JGJ 145
《建筑轻质条板隔墙技术规程》JGJ/T 157
《膨胀聚苯板薄抹灰外墙外保温系统》JG 149
《混凝土用膨胀型、扩孔型建筑锚栓》JG 160
《建筑隔墙用轻质条板》JG/T169

《建筑室内用腻子》JG/T 298
《纤维增强硅酸钙板 第2部分:温石棉硅酸钙板》JC/T 564.2
《金属面聚苯乙烯夹芯板》JC 689
《石膏砌块》JC/T 698

中国工程建设协会标准

建筑用无机集料阻燃木塑
复合墙板应用技术规程

CECS 286：2015

条文说明

修订说明

《建筑用无机集料阻燃木塑复合墙板应用技术规程》(CECS 286：2015)，经中国工程建设标准化协会2015年6月3日批准发布。

本规程是在《建筑用无机集料阻燃木塑复合墙板应用技术规程》CECS 286：2011的基础上修订而成，上一版的主编单位是中国建筑标准设计研究院有限公司和北京恒通创新赛木科技股份有限公司，参加单位是中国建筑科学研究院，主要起草人员是陆兴、孙志强、王景贤、曹彬等。本次修订的主要技术内容是：1.调整无机集料阻燃木塑复合墙板的物理力学性能指标及试验方法。2.在材料章节中增加"金属材料及配件"和"保温、涂覆及封堵材料"内容。3.增加无机集料阻燃木塑复合墙板的储存、堆放和运输要求。4.增加无机集料阻燃木塑复合墙板施工记录要求、墙板墙体施工安装中防潮防水要求、主要金属配件与主体结构连接要求。

本规程修订过程中，编制组进行了广泛的调查研究，总结了无机集料阻燃木塑复合墙板的性能改进及工程应用的经验，同时参考了国家最新制修订的有关标准、测试方法和技术指标，通过试验取得本规程所设定有关无机集料阻燃木塑复合墙板的重要性能技术依据。

为了便于广大设计、施工、科研、学校等单位有关人员在使用本规程时能正确理解和执行条文规定，《建筑用无机集料阻燃木塑复合墙板应用技术规程》编制组按照章、节、条顺序编制了本规程的条文说明，对条文规定的目的、依据以及执行中需要注意的有关事项进行了说明。但是，本条文说明不具备与规程正文同等的法律效力，仅供使用者作为理解和把握规程规定的参考。

目 次

1 总 则 …………………………………………（25）
2 术 语 …………………………………………（26）
3 材 料 …………………………………………（27）
 3.1 一般规定 ……………………………………（27）
 3.2 金属材料及配件 ……………………………（27）
 3.3 保温、涂覆及封堵材料 ………………………（28）
 3.4 墙板 …………………………………………（28）
4 墙板墙体设计与构造 …………………………（32）
 4.1 一般规定 ……………………………………（32）
 4.2 设计与构造 …………………………………（32）
5 施工安装与验收 ………………………………（35）
 5.1 一般规定 ……………………………………（35）
 5.2 墙板墙体施工安装 …………………………（35）
 5.3 检验与验收 …………………………………（35）

1 总 则

1.0.1 近年来,我国新型墙体材料发展迅速。建筑用无机集料阻燃木塑复合墙板是以资源的综合利用为目标,充分利用废旧塑料和废弃的尾矿砂,经挤出成型的一种新型墙板,符合低碳、环保的发展要求。本规程的制定,从材料、设计与构造、施工安装与验收等方面,为保证无机集料阻燃木塑复合墙板墙体的工程质量提供依据。

1.0.2 本条规定了本规程的适用范围。无机集料阻燃木塑复合墙板可用于民用建筑和一般工业建筑的非承重内隔墙和外围护墙,不承受日照、雨淋、雪或霜冻。本规程适用于非抗震设防区和抗震设防烈度为8度(设计基本地震加速度值为0.20g)及以下的地区,抗震设防烈度为8度以上地区采用无机集料阻燃木塑复合墙板时,应由工程设计单位提出加强措施和构造图,施工单位按图施工、验收。

1.0.3 由于墙板构件为难燃烧体,按现行国家标准《建筑设计防火规范》GB 50016的规定,无机集料阻燃木塑复合墙板当用于民用建筑的外围护墙时,最多允许层数为2层;当用于民用建筑的非承重内隔墙时,最多允许层数为5层;当用于一般工业建筑时,由于厂房的生产类别不同,对于厂房的耐火等级和最多允许层数也不尽相同,应严格按本规程执行。

1.0.4 建筑用无机集料阻燃木塑复合墙板应满足建筑使用功能要求。建筑用无机集料阻燃木塑复合墙板墙体安装工程在建筑施工中属分项工程,应与国家现行标准《建筑工程施工质量验收统一标准》GB 50300、《建筑装饰装修工程质量验收规范》GB 50210和《建筑轻质条板隔墙技术规程》JGJ/T 157配套使用。工程验收时,除满足本规程各项规定外,尚应符合国家现行有关标准的规定。

2 术　　语

2.0.1 在无机集料阻燃木塑复合墙板中,木质纤维是起抗裂和增强的作用,在物理力学性能指标中,未考虑木质纤维材料的特征,因此要控制其重量比不大于10%。为保证复合墙板的耐久性,强调木质纤维应经过防腐和防虫蛀处理。墙板可分为空心板和实心板,即是通常所称的无机集料阻燃木塑裸板和无机集料阻燃木塑复合墙板。

2.0.2 无机集料阻燃木塑复合墙体是指隔墙和外围护墙,复合材料通常有保温材料和饰面材料组成。保温材料主要以岩棉为主,饰面材料主要有硅钙板、石膏板,耐水腻子等隔墙是分隔建筑物内部空间的墙,不承重,一般要求轻、薄,有良好的隔声性能。对于不同功能房间的隔墙有不同的要求,如厨房的隔墙应具有耐火性能;盥洗室的隔墙应具有防潮能力。常见无机集料阻燃木塑复合墙体构造示意图如图1所示。

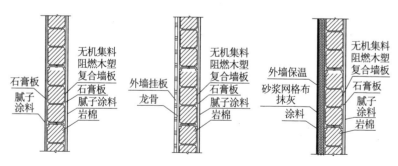

图1　常见无机集料阻燃木塑复合墙体构造示意图

3 材 料

3.1 一 般 规 定

3.1.1 为保证墙板的质量和配套材料的质量能满足工程设计要求,其性能指标应符合国家现行有关标准的要求。

3.1.2 材料相容是指不同材料可以并存、协调应用,不互相制约或影响各自性能的发挥,目的是为了减少和避免出现墙面开裂、空鼓、脱落等质量问题。

3.1.3 强调金属材料及配件使用应根据无机集料阻燃木塑复合墙板的具体型式和用途合理选配,选用的金属材料及配件应符合现行国家标准如《碳素结构钢》GB/T 700、《合金结构钢》GB/T 3077、《低合金高强度结构钢》GB/T 1591、《碳素结构钢和低合金结构钢热轧薄钢板及钢带》GB 912、《一般工程用铸造碳钢件》GB/T 11352 等的规定。

3.2 金属材料及配件

3.2.1 无机集料阻燃木塑复合墙板金属连接配件主要有 U 型钢卡、H 型钢柱、Φ300 自攻螺钉、方管钢柱以及钢柱预埋件等。由于外围护墙体或卫生间隔墙等所用金属构件和金属配件可能承受较高相对湿度或环境中各种不利因素的影响,除不锈钢、耐候钢材料外,碳素结构钢、低合金结构钢等金属材料,都应进行热浸镀锌或其他有效的表面防腐处理,可能使用的铝合金材料应进行表面阳极氧化、电泳涂漆、粉末喷涂、氟碳漆喷涂等有效的表面防腐蚀处理,以保证其耐久性和安全性。

3.2.2 有关金属的现行国家标准主要有:《碳素结构钢》GB/T 700、《合金结构钢》GB/T 3077、《低合金高强度结构钢》GB/T

1591、《碳素结构钢和低合金结构钢热轧薄钢板及钢带》GB 912、《碳素结构钢和低合金结构钢热轧厚钢板及钢带》GB/T 3274、《结构用无缝钢管》GB/T 8162、《一般工程用铸造碳钢件》GB/T 11352等。

3.2.4 有关螺钉、螺栓的现行国家标准主要有:《紧固件机械性能 螺栓、螺钉和螺柱》GB/T 3098.1、《紧固件机械性能 螺母 粗牙螺纹》GB/T 3098.2、《紧固件机械性能 自攻螺钉》GB/T 3098.5、《紧固件机械性能 不锈钢螺栓、螺钉和螺柱》GB/T 3098.6、《紧固件机械性能 自钻自攻螺钉》GB/T 3098.11、《紧固件机械性能 不锈钢螺母》GB/T 3098.15等。

3.3 保温、涂覆及封堵材料

3.3.2 纸面石膏板主要适用于建筑物中用作非承重内隔墙体。

3.3.4 常用的封堵材料有硅酮胶、聚氨酯胶等。这些封堵材料在工程中的应用比较广泛,而且有了比较成熟的经验。但是这些封堵材料由于经过长期存放会出现粘结强度下降、耐候性能和伸缩性能下降等问题,因此应在有效期内使用。

3.4 墙 板

3.4.1 长度尺寸 L 为层高减去楼板顶部结构(如梁、楼板)厚度及技术处理空间尺寸。增加"长度不小于宽度的2.5倍"以满足作为隔墙条板的尺寸规格要求。

3.4.2 本条参照现行国家标准《建筑用轻质隔墙条板》GB/T 23451的规定编制,指标测试可按该标准进行。

3.4.3 该条款参照现行国家标准《建筑用轻质隔墙条板》GB/T 23451第5.3节编制,结合无机集料阻燃木塑复合墙板具体情况,将厚度尺寸偏差调整为±1.0,该指标测试可以依照该标准进行。

3.4.4 无机集料阻燃木塑复合墙板是一种新型的墙体材料,合理地确定其材料性能指标和功能性指标是保证工程质量的关键。本条借鉴相关木塑产品国际标准的经验,确定了无机集料阻燃木塑复合墙板的检验项目和技术指标。

面密度——本条关于面密度的取值依据无机集料阻燃木塑复合墙板实测值而定,该指标的测试依据为分别为《建筑用轻质隔墙条板》GB/T 23451 或《建筑隔墙用轻质条板》JG/T 169。100mm 厚的面密度测试值为 33.5kg/m²、120mm 厚的面密度测试值为 41.5kg/m²、150mm 厚的面密度测试值为 43.5kg/m²。其中,《建筑隔墙用轻质条板》JG/T 169 中规定的轻质条板面密度上限分别为:≤90kg/m²(板厚为 90mm)和≤110kg/m²(板厚为 120mm),无机集料阻燃木塑复合墙板符合规定。

抗冲击性能——抗冲击性中硬物冲击参照《纤维增强硅酸钙板 第 2 部分:温石棉硅酸钙板》JC/T 564.2—2008 测试,性能指标要求参照该类材料制定,其中采用的冲击球质量为 500g±5g 的钢球,冲击高度为 1m。软物冲击测试参照《建筑用轻质隔墙条板》GB/T 23451—2009,采用 30kg 重、粒径 2mm 以下细砂的标准砂袋用直径 10mm 左右的绳子固定在其中心距板面 100mm 的钢环上,使砂袋垂悬状态时的重心位于 $L/2$ 高度处。

荷载性能——去掉抗弯承载力,用墙板的"集中荷载"和"均布荷载"两个指标表示,并根据试验测试结果确定该指标。

抗压强度——抗压强度在测试报告的基础上适当调整得到该值。

维卡软化温度——PVC 为热固性树脂,故需要测试维卡软化温度。维卡软化温度(Vicat Softening Temperature)是将热塑性塑料放于液体传热介质中,在一定的负荷和一定的等速升温条件下,试样被 1mm² 的压针头压入 1mm 时的温度,依据国标《热塑性塑料维卡软化温度(VST)的测定》GB/T 1633—2000 进行测试。维卡软化温度是评价材料耐热性能,反映制品在受热条件下物理力学性能的指标之一。维卡软化温度适用于控制材料质量和作为鉴定新品种塑料热性能的一个指标,但它不代表材料的使用温度。

材料的维卡软化温度虽不能直接用于评价材料的实际使用温度,但可以用来指导材料的质量控制。维卡软化温度越高,表明材料受热时的尺寸稳定性越好,热变形越小,即耐热变形能力越好,刚性越大,模量越高。本规程根据PVC类材料及常见建筑用塑料材料的维卡软化温度和阻燃木塑检测结果确定了80℃。

耐久性——耐热水性能和耐干湿性能性能是无机集料阻燃木塑复合墙板耐久性的重要指标,检验方法和指标借鉴有关纤维水泥平板的国际标准。此次修编,明确了耐水性能和耐干湿性能的测试参照《纤维水泥制品试验方法》JG/T 7019中有关试验方法进行,将CECS 286:2011中表3.2.4中"热水性能"、"浸泡 干燥性能"分别调整为"耐热水性能"、"耐干湿性能",并将指标规定中的表达适当做了调整,去掉由于实际送检样品数量不足够多无法很好得到置信度为95%分位值的规定。去掉"置信度为95%分位值"的调整,是为了便于指标值的确定。

不透水性——将"不透水性"指标的规定由原来的"24h检验后,允许板面出现湿痕,但不得出现水滴"调整为"24h检验后,允许板反面出现湿痕,但不得出现水滴"。因为,通常考察板材透水性,检验时都是观察板的背面。

湿度变形——用湿度变形代替国内常用的湿胀率和干燥收缩值,与工程实际应用更为贴切,也是国际标准中经常采用的方法。

隔声性能——依据《民用建筑隔声设计规范》GB 50118的规定,房间之间的空气声隔声不应小于45dB(计权标准化声压级差+粉红噪声频谱修正量),结合本墙板的测试结果,确定为不小于45dB。

燃烧性能——燃烧性能根据其在建筑中的用途,依据《建筑设计防火规范》GB 50016确定。阻燃木塑复合墙板主要用于非承重内隔墙、带有外保温的维护墙和带有外围护的墙体,因此本条款要求燃烧性能不低于B_1级。燃烧性能等级判定依据《建筑材料燃烧性能分级方法》GB 8624。

删掉了"含水率"指标,因为通常阻燃木塑产品含水率较低,且低于当地平衡含水率,因此认为没必要规定该指标。

热工性能——当无机集料阻燃木塑复合墙板用作户内隔墙时,传热系数指标依据《建筑隔墙用轻质条板》JG/T 169—2005 确定,即不应大于 $2.0W/(m^2 \cdot K)$;当无机集料阻燃木塑复合墙板用作非承重外墙(带外保温的围护墙和带有外围护的墙体)时,其传热系数指标应符合不同建筑气候区对该类墙体的传热系数要求。本规程中三种厚度的无机集料阻燃木塑复合墙板传热系数实验室测试结果分别为: $0.49W/(m^2 \cdot K)$、$0.46W/(m^2 \cdot K)$、$0.30W/(m^2 \cdot K)$,可供节能设计参考。

3.4.5 各种建筑材料和装修材料所含放射性核素种类和数量是不相同的,因此放射线强弱不同。用比活度来表示,单位是贝可/千克(Bq/kg),即每千克质量物质所含的贝可数。建造各类建筑物所使用的无机非金属类建筑材料,包括掺工业废渣的建筑材料中天然放射性核素镭-226、钍-232、钾-40 放射性比活度的限量和试验方法应符合《建筑材料放射性核素限量》GB 6566—2010 的规定。内照射指数是指建筑材料中天然放射性核素镭-226 的放射性比活度,除以标准规定的限量而得的商。外照射指数是指建筑材料中天然放射性核素镭-226、钍-232 的钾-40 的放射性比活度分别除以其各自单独存在时本规程规定限量而得的商之和。之所以要区分内、外照射指数,是因为内照射和外照射引起的后果是不一样的,外照射剂量不大的情况下,内照射可能会因为沉积在体内导致很严重的后果。本规程木塑板属于建筑主体材料,参照现行国家标准《建筑用轻质隔墙条板》GB/T 23451 的规定,结合阻燃木塑产品的该性能检测结果确定了本条。

3.4.6 为了保证墙板产品的质量,避免因储存、堆放和运输不当引起工程质量问题,制定了本条。

4 墙板墙体设计与构造

4.1 一般规定

4.1.1～4.1.3 要求设计人员按照墙体的建筑功能和使用功能要求,提出相应的技术指标和构造做法,使墙体满足工程设计要求和使用要求。

4.2 设计与构造

4.2.1 本条明确规定单层墙板墙体用作分室墙、分户墙和外围护墙的最小厚度,以满足墙板墙体的防火、隔声、隔热及安全等功能要求。

4.2.2 为保证单层墙板墙体的安全并控制水平变形,本条规定了不同厚度墙板墙体的限制高度。

4.2.3 由于无机集料阻燃木塑复合墙板重量轻,在限高范围内采用整板既安全可靠,又可节约连接件等材料。当超过限高安装单层墙板墙体时,应由工程设计人员另行设计。一般竖向接板不宜超过一次,相邻板接头位置应错开 300mm 以上,错缝范围可为 300mm～500mm。墙板对接部位应加连接件、定位钢卡,做好定位、加固、防裂处理。

4.2.4 本条对无机集料阻燃木塑复合墙板墙体接缝部位提供了多种防裂处理方法,以供设计、施工结合具体情况选择。

4.2.5 超长墙体因干燥收缩等原因会产生裂缝,因此,在墙体的一定部位设置竖向变形分隔缝,可释放变形应力,减少或避免墙体裂缝。

4.2.6 为减少接缝处开裂,要求缝隙内填满水泥砂浆粘结密封。

4.2.7 补板宽度过小,板刚度差,易损坏,并影响墙体工程质量。

4.2.8 本条规定墙板墙体空气声隔声量(R_w+C_i)应符合现行国家标准《民用建筑隔声设计规范》GB 50118的要求。由于无机集料阻燃木塑复合墙板面密度低,当隔声量不能满足使用功能要求时,应采取构造措施,提高墙体的空气声隔声量,满足设计和使用要求。

4.2.9 本条规定顶部为自由端的墙板隔墙的构造和加固方法,是为了提高这类隔墙的安全性能。

4.2.10 由于当墙板软化系数大于等于0.90时,潮湿对墙体的强度及防裂性能影响较小,可采用将墙板放置在U型钢扣槽的做法,本规程中的无机集料阻燃木塑复合墙板软化系数不小于0.9,因此,无需考虑当墙板软化系数小时,潮湿对墙体的强度及抗裂性能影响较大,要求将其搁置在填充的细石混凝土上的情况。因此,本规程建议采用U型钢扣槽的做法安装墙板。

4.2.11 本条的规定是为了确保缝隙密封、隔声,又避免上部结构荷载传至非承重墙体。

4.2.12 在抗震设防区,无机集料阻燃木塑复合墙板隔墙与结构应采用有一定延性的柔性连接构造。本条对抗震设防烈度为8度及以下的抗震设防区,无机集料阻燃木塑复合墙板墙体安装的抗震做法提出明确规定。

4.2.13、4.2.14 门窗洞口处墙板长期处于铰接状态,反复承受疲劳性剪拉力,易破坏。采用这两条规定的措施可避免破坏和防开裂。在靠门、窗框一侧的墙板,宜加设预埋件,便于门、窗固定。

4.2.15 为避免墙板隔墙横向开槽后,抗折、抗冲击、隔声等不能满足使用安全,本条规定了墙板厚度不应小于100mm,并对开槽的部位、最大深度和最大长度做了明确规定。

4.2.16 墙板横向开槽,抗折强度明显降低,故配电箱、控制柜等宜采用明装方式或局部双层墙板。

4.2.17、4.2.18 横向水管宜明装,以避免铺设管线对墙体造成损坏。若为美观暗埋水管,则墙板厚度不应小于150mm,开槽深度不应大于墙厚的2/5,开槽长度不大于墙长的1/2,并做好防漏、防渗、回填、加固、补强及防裂处理。

4.2.19 本条明确墙板吊挂重物和设备时不得单点吊挂,给出双吊点的合理位置是两点间距大于300mm,并在设计时采用加固措施,以保证安全。

4.2.20、4.2.21 潮湿条件下的墙体除会引起墙体强度降低外,还会引起面层鼓泡、脱皮、剥落等问题。

4.2.22 无机集料阻燃木塑复合墙板为难燃烧体构件,应满足建筑对不同部位墙体的燃烧性能及耐火极限的要求。

4.2.23、4.2.24 本条对墙板用作外围护墙时的安全性提出要求。

4.2.25 本条对墙板用作外围护墙时的热工性能提出要求,设计构造时特别要注意的是隔热性能是否满足当地节能设计标准,否则应采用相应措施,提高墙体的隔热性能。

5 施工安装与验收

5.1 一般规定

5.1.1 本条要求施工单位应根据设计单位提交的设计文件资料编制墙板分项工程的施工文件,提交墙板排板图设计、施工组织技术方案。

5.1.2 为保证工程质量,明确湿作业施工现场环境的最低温度不宜低于5℃,否则应采取冬季施工措施。

5.1.3 本条规定施工人员应按图施工,不得随意开槽凿洞,以避免破坏墙体的整体性能,影响其隔声、抗冲击、抗弯承载等功能。

5.2 墙板墙体施工安装

5.2.3 当墙板用在厨房、卫生间及有防潮、防水要求的环境时,应采取防潮、防水的构造措施。

5.2.4 本条是减少或避免非承重墙体开裂的重要措施。

5.2.5 对主要受力U型钢卡与主体结构的连接进行规定,以确保工程质量。

5.3 检验与验收

本节条文规定了建筑用无机集料阻燃木塑复合墙板工程的进场验收要求,并规定了其工程质量验收要求和验收资料要求。